folio benjamin

D1373509

Pour Victoria

TRADUCTION DE MARIE SAINT-DIZIER ET RAYMOND FARRÉ

ISBN : 2-07-054785-X
Titre original : *Morris' Disappearing Bag*
Publié par Dial Books for Young Readers, New York,
une division de Penguin Books USA Inc., New York
© Rosemary Wells, 1975, pour le texte et les illustrations
© Éditions Gallimard Jeunesse, 1980, pour la traduction
française, 2001, pour la présente édition

Numéro d'édition: 02964
Loi n° 46-956 du 16 juillet 1949
sur les publications destinées à la jeunesse
Dépôt légal: octobre 2001
Imprimé en Italie par Editoriale Lloyd
Réalisation Octavo

Rosemary Wells

Le sac
à disparaître

GALLIMARD JEUNESSE

Aujourd'hui, c'est Noël.
« Oh, oh ! dit Damien.
Il me tarde de voir mon cadeau…

– Regardez ! s'écrie Robert,
le grand frère.
J'ai un équipement complet
de hockey !

– Et moi, annonce Colette,
la grande sœur,
une trousse à maquillage !

– La boîte du parfait petit chimiste !
claironne Dorothée,
    l'autre grande sœur.

– Moi, j'ai un ours, dit Damien,
un ours en peluche ! »

Quelle matinée !
Robert manie la crosse,
Colette les crayons
et Dorothée pipettes et pilons.

L'après-midi, les trois grands échangent
leurs cadeaux. Dorothée se pomponne,
Robert joue avec les éprouvettes et
Colette devient championne de hockey.

Puis Robert se dessine
des moustaches,
Dorothée marque des buts
et Colette invente un gaz affreux.

« Je peux jouer avec les éprouvettes ?
demande Damien.
– Non, tu es trop petit !
répond Dorothée.
Tu ferais sauter la maison !

– Je peux patiner ?
demande Damien.
– Non, tu es trop petit,
répond Robert. Tu te ferais mal.

– Je peux me faire une tête
de clown ? demande Damien.
– Non, tu es trop bête,
répond Colette.
Tu gâcherais mon rouge à lèvres.

– Mais je vous prêterai mon ours !
dit Damien.
– On n'en veut pas !
On est trop grands !
crient les trois enfants.

– Viens, on va habiller ton ours,
propose la mère.
– Non ! répond Damien.

– Viens, on va promener ton ours,
propose le père.

– Non ! » répond Damien.

Pendant le dîner,
Damien boude dans son coin.
« Que lui arrive-t-il ? demande le père.
– Il a dû se donner un coup de crosse,
dit Robert.

– Il a dû manger mon rouge à lèvres,
dit Colette.
– Non, il a respiré le gaz affreux »,
dit Dorothée.

Damien boude toujours,
près de l'arbre de Noël.

Soudain, il aperçoit un paquet
qu'il avait oublié.

Il l'ouvre.
Et que découvre-t-il ?
Un sac invisible…
Un sac à disparaître magique !

Damien se glisse à l'intérieur
et…
disparaît !

« Damien ! appelle Robert.
– Je suis là ! crie Damien.
– Où ça ? demande Robert, étonné.

– Où est passé Damien ?
demandent Colette et Dorothée.
– Cherchez-moi ! » crie Damien.

Impossible de retrouver
le petit frère.
« Et s'il avait explosé ?
lance Dorothée.

– Ou alors, il est devenu si beau qu'on
ne le reconnaît plus !
suggère Colette.
– Papa ! hurle Robert, Damien patine
si vite qu'on ne le voit plus ! »

La tête de Damien surgit brusquement.
« Où étais-tu passé ?
demande Robert.

– J'étais dans mon sac magique,
répond Damien.

– Oh, tu me le prêtes ? s'écrie Robert.
– Moi d'abord ! dit Colette.
– Tiens, prends mes éprouvettes »,
dit Dorothée.

Damien ouvre son sac magique
et les trois grands disparaissent aussitôt.

Damien peut enfin patiner…

inventer de savants mélanges...

se faire une tête de toutes les couleurs…

jusqu'à l'heure d'aller au lit.

« Déjà ! s'écrie Damien.

– Tu me prêteras ton sac, demain ?
demande Colette.
– Tu me le prêtes pour dormir ?
demande Dorothée.

– À propos, tu l'as bien rangé ? »
dit Robert.

Et cette nuit-là,
Damien s'endormit heureux,
près de son ours en peluche.